Tengo miedo

Ivar Da Coll

Tengo miedo

Ivar Da Coll

Es hora de dormir...

Hay tanto silencio que se
siente el murmullo del viento
entre los árboles.

Todo está oscuro.

Sólo unas pocas estrellas
acompañan a la luna en el cielo.

Eusebio no puede dormir.

Tiene miedo.

—¡Ananías! ¡Ananías! ¿Estás dormido?
—pregunta Eusebio muy bajito.

—No, aún no —responde Ananías—.
¿Qué te pasa?

Eusebio le cuenta por qué no puede dormir.

—Tengo miedo

de los monstruos que tienen cuernos,

de los que son transparentes,

de los que tienen colmillos,

de los que vuelan en escoba
y tienen una verruga en la nariz,

de los que se esconden en los lugares oscuros
y sólo dejan ver sus ojos brillantes,

de los que escupen fuego.

De todos esos que nos asustan,
tengo miedo.

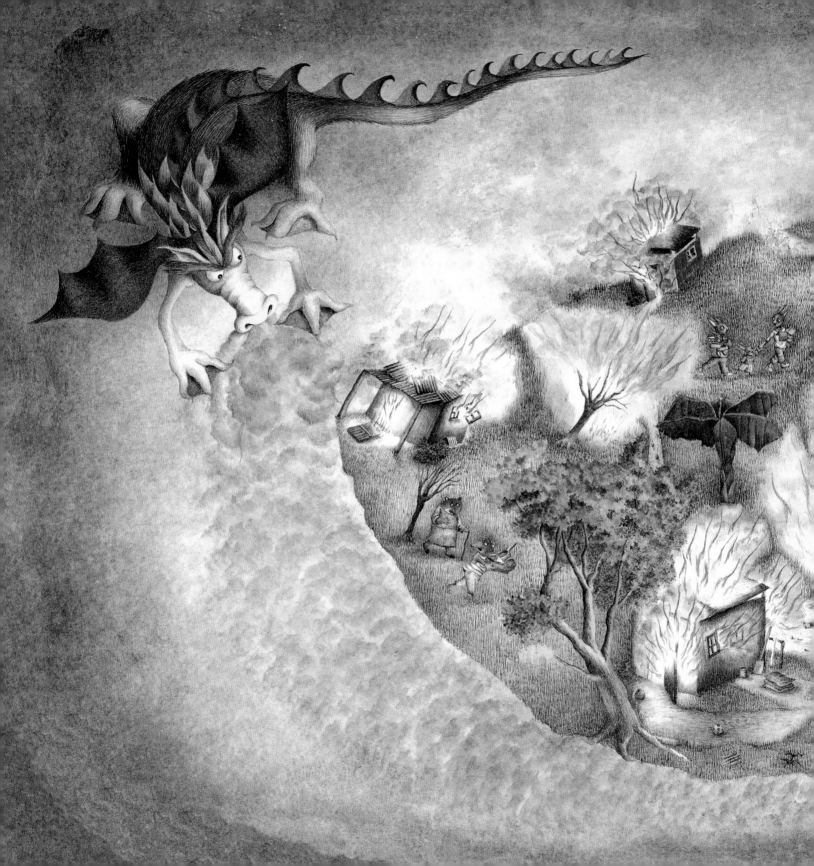

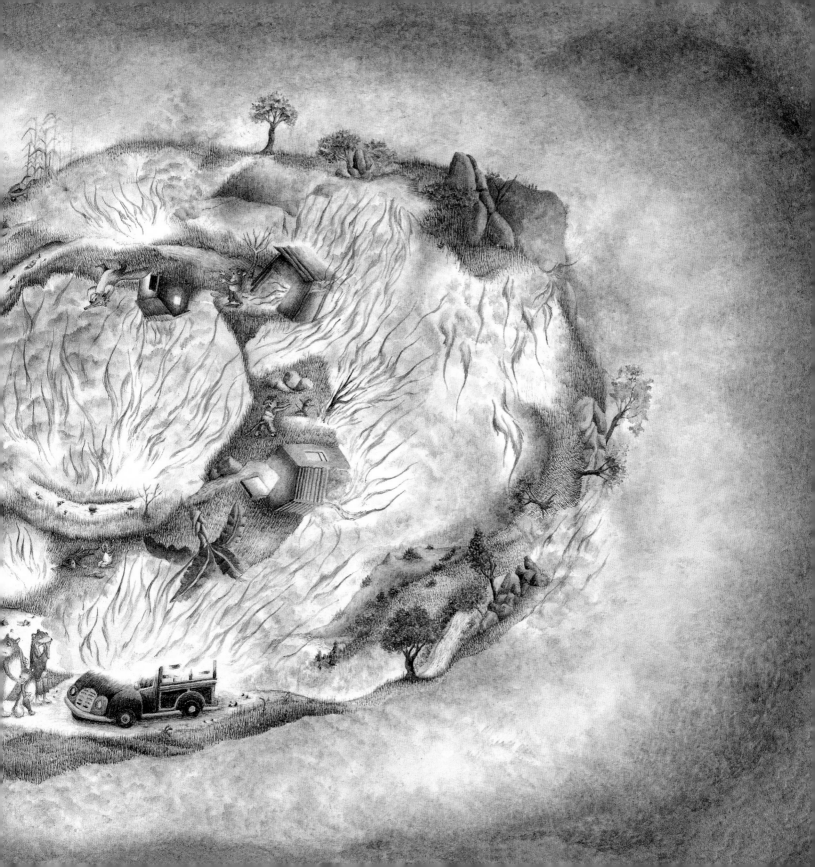

—Te entiendo —dice Ananías—.
Ven, siéntate a mi lado
y deja que te cuente algo.

—Sabías que...

los que escupen fuego,

los que se esconden en lugares oscuros

y sólo dejan ver sus ojos brillantes,

los que vuelan en escoba

y tienen una verruga en la nariz,

los que tienen colmillos,

los que son blancos, muy blancos,

tan blancos que parecen transparentes,

los que tienen cuernos:

ellos también sienten miedo.

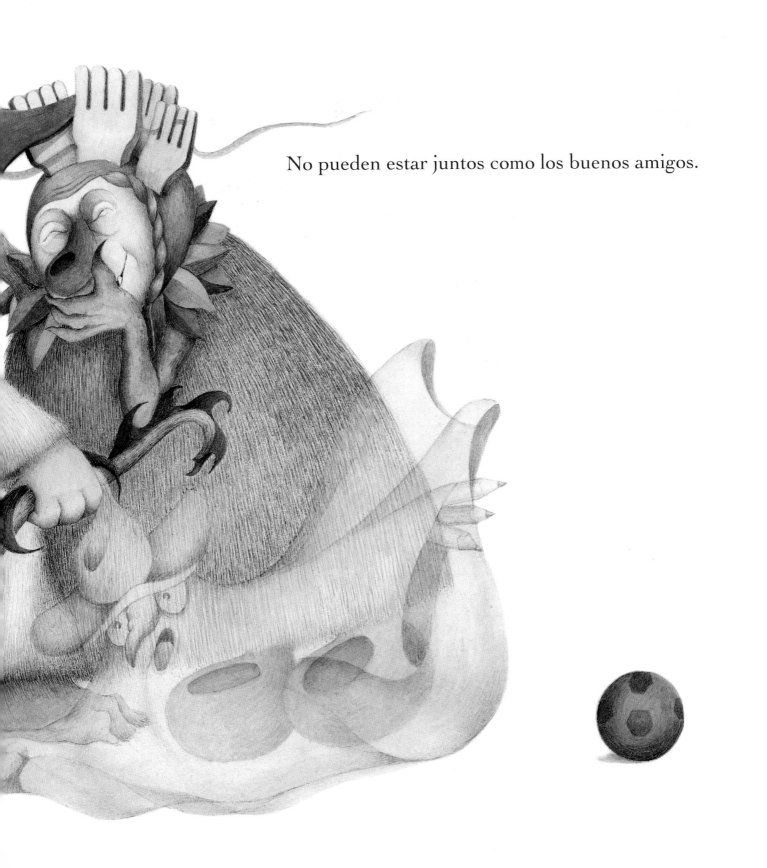

No pueden estar juntos como los buenos amigos.

Siempre quieren ganar, aunque sea con trampa.

Para ellos no hay tranquilidad.

Porque, ¿cómo confiar en alguien
que no es un verdadero amigo?

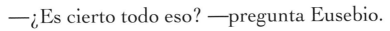

—¿Es cierto todo eso? —pregunta Eusebio.

—Claro que sí —responde Ananías.

—¿Sabes? Ahora me siento mejor.

—Hasta luego, Eusebio.

—Hasta luego, Ananías.

Dirección editorial: Cristina Arasa
Coordinación de la colección: Mariana Mendía
Cuidado de la edición: Ariadne Ortega
Diseño: Maru Lucero

Tengo miedo

© Ivar Da Coll, 2012 / © Babel Libros, 2012

Editado por Ediciones Castillo, S. A. de C. V. por acuerdo
con Babel Libros, SAS, Calle 39-A 20-55, La Soledad,
Bogotá D. C. Colombia.

Primera edición: diciembre de 2013
Primera reimpresión: agosto de 2016
D. R. © 2013, Ediciones Castillo, S. A. de C. V.
Castillo ® es una marca registrada.

Insurgentes Sur 1886, Col. Florida,
Del. Álvaro Obregón,
C. P. 01030, México, D. F.

Ediciones Castillo forma parte
del Grupo Macmillan

www.grupomacmillan.com
www.edicionescastillo.com
infocastillo@grupomacmillan.com
Lada sin costo: 01 800 536 1777

Miembro de la Cámara Nacional
de la Industria Editorial Mexicana.
Registro núm. 3304

ISBN: 978-607-463-920-9

Impreso en México / *Printed in Mexico*